D0892219

Generosa De Cubellis

LA MALADIE D'ALZHEIMER
D'ALZHEIMER
ET AUTRES MALADIES
DU CERVEAU

**Pour contacter le directeur de la collection,
Jean-Marie Delecroix :**
Tél. 03 81 32 07 90 et 06 89 15 55 79
jmdelecroix@yahoo.fr

© Éditions Médicis, 2009
22, rue Huyghens – 74014 Paris
ISBN : 978-2-85327-379-4
contact@editions-medicis.fr

Jean-Félix de la Montagne

LA MALADIE D'ALZHEIMER ET AUTRES MALADIES DU CERVEAU

Les comprendre et les prévenir

Éditions Médicis

AVERTISSEMENT

Les indications données dans cet ouvrage tiennent compte des résultats obtenus par divers chercheurs, par des tests et de nombreux contrôles effectués.

Les conclusions reproduites ici sont donc le reflet d'études sérieuses menées consciencieusement. Pour toute utilisation des produits décrits dans ce livre, il est conseillé de lire attentivement le mode d'emploi accompagnant ceux-ci et de demander conseil à un médecin ou à un pharmacien. En aucun cas, l'éditeur et l'auteur de cet ouvrage ne pourront être tenus pour responsables des conséquences d'une application incorrecte ou imprudente de l'usage des produits ou des méthodes présentés dans cet ouvrage.

*Ce n'est pas le cerveau
qui génère la pensée,
mais c'est bien la pensée
qui génère le cerveau.*

Alain Prochiantz

À Alice

Sommaire

Alzheimer, qu'est-ce que c'est ?

La maladie d'Alzheimer est une maladie dégénérative qui détruit progressivement les cellules vitales du cerveau. Il s'agit de la forme la plus commune des maladies neuro-dégénératives.

L'objet de ce livre est, à la fois de vous conseiller pour éviter cette maladie même si vos prédispositions pour la contracter existent, et aussi à la soigner dès qu'elle apparaît. La maladie va de pair avec un certain nombre de paramètres que l'on peut en effet corriger. Pour cela, nous vous expliquons également comment reconnaître son apparition, qui est très lente et progressive.

Mise au point sur les médecines douces

En France, la médecine officielle ayant déclaré que cette maladie ne se guérissait pas, ce qui veut dire dans le texte qu'il n'y a aucun médicament pour cela, il faut bien que nous nous tournions vers d'autres horizons plus réjouissants.

Ces médecines dites douces, parallèles ou alternatives n'ont rien de doux, ni de parallèle, ni d'alternatif. Ce sont des médecines à part entière puisqu'elles permettent de nous libérer de la maladie d'Alzheimer et aussi de l'éviter. En revanche, que penser des médecines impuissantes ? La mise à l'écart de ces « médecines douces » n'est plus de mise et devient ringarde.

Pourquoi douces ?

Pour en dénigrer l'efficacité bien évidemment. C'est doux et « ça ne peut pas faire de mal », comme disaient les médecins généralistes à propos des effets d'une meilleure nutrition pour le cancer ; ils ne le disent plus, car la nutrition est le facteur numéro 1 d'une meilleure santé ! Emprunter un chemin parallèle créerait une compréhension de symboles subalternes par rapport au chemin principal. Quelle erreur ! Tout ceci est complémentaire.

Toutes les médecines ont le devoir de s'associer pour la santé de tous. C'est à chaque patient d'encourager cet état d'esprit et même ne plus tolérer les « guéguerres », attaques diverses, menaces, courses au fric à son détriment.

Les nouvelles préoccupations

Quant à leur santé, les Français se préoccupent de bon nombre de facteurs qu'ils estiment très influents. J'ai nommé : vitalité, forme, relaxation, massage, sieste, hygiène, diététique, prévention, sport, marche, mouvements, compléments alimentaires, lutte contre le vieillissement, *taï chi chouan, qi gong*, yoga, *shiatsu*, etc. Il leur semble que ces notions leur sont plus accessibles et cela constitue une approche vers ce qu'ils pensent être les médecines douces.

Ces médecines auraient une action lente

Les Français pensent cela. « L'homéopathie, c'est efficace, mais c'est lent. » C'est pourtant une médecine qui réussit là où d'autres échouent. En effet, comme le corps y retrouve les conditions d'une bonne santé, comme ces médecines sont d'« accompagnement » et ne s'opposent pas à la maladie de front, comme ce corps revient lentement à la santé, on dit que c'est lent. Ce ne sont pas les techniques qui sont lentes, c'est le corps qui va lentement dans ses processus évolutifs : 20 ans pour transformer un petit d'homme en adulte, 10 ou 20 ans pour créer un cancer par exemple… Je vous pose une question. Entre un problème qui ne se guérit pas et le même problème qui se résout en 5 ans, quel est le plus lent ? La cause est entendue. Si vous avez une bonne grippe, les antibiotiques la soignent en une semaine ; ne rien prendre la répare en 7 jours. Voyez où est le gain ! Une bonne grippe bien accompagnée par les médecines douces, peut se résorber en un jour, voire deux. Et ces médecines douces peuvent faire en sorte que vous ne « fassiez » pas la grippe. Personnellement, il y a 15 ans que je ne connais plus cette maladie et je n'ai pas l'intention de la « faire ». Ceci est la guérison la plus rapide qui soit !

Les Français utilisent les médecines douces

S'il y avait égalité de traitement social, c'est-à-dire le même remboursement qu'en allopathie, les données suivantes seraient très différentes. L'utilisation des médecines douces est une course à handicaps injustes. Injustes parce que ceux qui utilisent les médecines douces sont moins malades que la moyenne et utilisent donc moins l'argent de la Sécurité sociale, coûtent moins cher aux contribuables.

42 % des Français ont couramment recours à ces médecines parallèles (75 % de temps en temps) selon l'Organisation mondiale de la santé, dans son rapport de mai 2002, cité par *L'Express*. Parmi ces Français, 8 sur 10 utilisent l'homéopathie, 1 sur 2 l'acupuncture, 1 sur 5 l'ostéopathie. Excusez du peu, on est loin de la marginalité ! Le rapport de l'OMS de 2002 en sa rubrique bibliographique, favorise depuis peu l'intégration des médecines non conventionnelles dans les systèmes de santé publique. L'Union euro-

péenne aborde une nouvelle directive quant aux plantes médicinales. La France reconnaît une existence juridique à l'ostéopathie et la chiropractie. Pour ces deux médecines, ainsi que d'autres comme la naturopathie, certaines assurances complémentaires remboursent les patients.

Les assurances qui les remboursent

Pour vous y aider et parce que ça ne se sait pas (c'est bien orchestré), je vous les cite ici :

- Axa
- AGF
- Adhesia santé
- CCMO Mutuelle Naturalia
- Crédit Agricole
- Crédit Mutuel
- Dolce Medica
- France Mutuelle
- Landes Mutualité
- MFIF
- MMC
- Solly Azar Imaginea Renfort
- Swiss Life

Les médecins s'y mettent

Un généraliste sur trois recourt à des disciplines complémentaires. Arnica 5 ou 7 CH constitue la panoplie de presque tout le monde en cas de coup dur. On ne « donnait pas cher » de ce produit homéopathique il y a 40 ans. 30 000 médecins généralistes prescrivent de l'homéopathie. 5 000 sont médecins à orientation homéopathique. 4 000 médecins font de l'acupuncture. L'Ordre des médecins a fait établir un rapport officiel qui annonce que seulement 62 % des médecins généralistes pratiquent exclusivement la médecine conventionnelle, les autres y adjoignant ostéopathie, médecine naturelle, acupuncture et homéopathie. Pourquoi, en effet, se priver de ce qui fonctionne ? Le seul intérêt n'est-il pas l'amélioration de la santé des patients ?

Le Cenatho énonce

À la date historique du 28 mai 1997, le Parlement européen a voté à Bruxelles la résolution du rapport Lannoye/Collins, reconnaissant un statut aux médecines « non conventionnelles » ou complémentaires (naturopathie, ostéopathie, médecine traditionnelle chinoise, acupuncture, homéopathie, phytothérapie et anthroposophie).

Cet engagement favorable confirme l'évolution positive incontournable des consciences et des structures juridiques et sociales en faveur des pratiques de santé non encore répertoriées en France. En effet, 10 nations sur 15 intègrent actuellement les professionnels non médecins. La situation est, à ce jour, très différente d'un État à l'autre de l'UE. L'étude la plus complète a été réalisée par maître Isabelle Robard, spécialiste en droit international de la santé, avocate au barreau de Paris.

Par ce rapport européen, les praticiens non médecins ont acquis pour le moment :

- L'approbation et le soutien de deux commissions importantes : la Commission de l'environnement, de la santé publique et de la protection des consommateurs, et la Commission juridique et des droits du citoyen.
- D'être entendus et définis clairement par les quelques 650 parlementaires européens qui ne peuvent plus ignorer leur existence, leurs doléances et les paradoxes législatifs déchirant les nations.

- La mise en place progressive de commissions d'équivalences examinant la situation des différents praticiens concernés.
- L'engagement de la Commission européenne dans un processus de reconnaissance par la création de comités appropriés.
- La distinction non négligeable entre pratiques alternatives, médecine chinoise par exemple, et pratiques complémentaires comme la naturopathie. Pour le moment, toutes les disciplines sont regroupées pour l'Europe sous le terme de « médecines non conventionnelles » et de « médecines traditionnelles » par l'OMS.
- La confirmation que des études cliniques comparatives, des protocoles d'évaluation d'efficacité des différentes disciplines doivent être mises en place rapidement.

L'exercice professionnel de la naturopathie n'est pas illicite en France. En effet, le praticien de santé naturopathe ne procède à aucun acte médical (diagnostic ou traitement de maladies). La naturopathie n'est pas un « acte médical » (article L. 4161-1 du Code de la santé publique). De plus, ses études n'apparaissent pas dans les cursus universitaires de médecine. Les meilleurs rapports de complémentarité s'installent entre médecins, paramédicaux et naturopathes.

Le stress au travail a besoin des médecines douces

Ce ne sont plus des lieux de travail, ce sont des champs de bataille. J'ai été directeur d'usines : nous allions souvent au travail avec la joie au cœur et la mise à la retraite de certains était un traumatisme fort. De nos jours, les employés y vont à reculons. C'est horrible ! 330 000 personnes ont une pathologie de stress au travail. On ne va pas tarder à avoir la même pathologie au volant car on assiste, sur nos routes, de nouveau, à l'attaque des diligences pour nous prendre de l'argent : 25 millions de PV à leur actif, y compris pour un excès de vitesse meurtrier à 51 km/h au lieu de 50. Je n'approuve pas une telle évolution de cette société !

Champion du monde

Les Français sont les premiers consommateurs d'antidépresseurs au monde. Plus de 5 millions de personnes consomment des antidépresseurs et psychotropes en France, dont plus de 120 000 enfants et adolescents. La consommation de tranquillisants et d'antidépresseurs en France est trois fois plus élevée que celle des autres pays de l'Union européenne. Et cette surconsommation augmente chaque année. Des centaines de milliers de personnes, dans des périodes de vie difficiles mais ne souffrant d'aucun trouble psychiatrique, se voient prescrire ces médicaments sur de longues durées, sans être averties de leurs effets secondaires ni bénéficier d'un suivi régulier. Les Français consomment chaque année 80 millions de boîtes de tranquillisants. Croyez-vous que cela fasse du bien à nos neurones ? Cette folie a un rapport direct avec les maladies modernes du cerveau. On le sait depuis longtemps, on ne cesse de le dire, de le répéter, de l'écrire et de le lire partout : la France est la championne du monde toutes catégories pour la consommation des drogues psychotropes, ces fameuses petites pilules du « bonheur » : tranquillisants, hypnotiques, antidépresseurs et autres neuroleptiques.

En France deux fois plus de morts par le suicide que sur la route

La France est aussi devenue championne du monde des suicides. Quelle réussite ! Notre pays se distingue des pays européens voisins par une très forte surmortalité prématurée avant 60 ans. Les causes en sont le mal-être : suicides, tabagisme, alcoolisme. On sous-estime l'ampleur du nombre de suicides en France : plus de 11 000 morts par an, ce qui constitue, depuis 1992, un enjeu de santé publique majeur. En 1999, le suicide a été classé au rang de « grande cause nationale ». Les chiffres continuent néanmoins à augmenter. Mais on en parle peu. Pourtant, on parle tant des morts sur les routes…

Le problème est que le suicide est encore « expliqué » dans notre société comme un acte incompréhensible, par une anomalie qu'on appelle faiblesse psychologique. C'est la conclusion d'un certain rapport récent sur 6 policiers suicidés. C'est commode. Pourtant, le suicide est un appel à l'aide, un acte qui laisse pantois et fait réfléchir ceux qui restent sur les conditions de vie du malade. Là aussi augmentent la pression de la hiérarchie, le poids de la rentabilité, la culture du résultat. Les chiffres et les ordinateurs dirigent le monde !

J'ai vendu mon fonds de commerce biologique ces temps-ci à mon employée de 23 ans. Il aura fallu 7 mois de papiers assommants dont certains demandés 3 fois (les mêmes), alors que mon achat de ce même fonds il y a 10 ans avait pris 15 jours avec le sourire. On la doit à la personnalité de certains patrons (au sens large), à la pléiade de « petits chefs » qui confondent « autorité » et « niet », parce qu'ils sont « petits ». Avoir de l'autorité c'est savoir dire oui avec le sourire et aider. Un chef ne sert qu'à cela, s'il est à sa place !

> Dans tous les domaines, la pression monte. Il faut arrêter d'en rajouter. Seules les médecines « douces » viennent au secours de cette anomalie.

Il y a pourtant des pistes naturelles

Prenons un exemple. Le fait que des naturopathes américains, allemands, français… guérissent le diabète ne mérite-t-il pas qu'on écoute leur discours ?

La maladie d'Alzheimer s'inscrit en plein dans cette dynamique évolutive. La dégradation de notre alimentation industrielle dénaturée et nos conditions de vie créent l'augmentation de cette maladie. Le renforcement fort et inéluctable des médecines parallèles y remédiera.

Alzheimer qui est-ce ?

*On parle de lui à tous les coins de rue.
Il est notre nouvelle épée de Damoclès.*

Personnellement, j'ai toujours trouvé cela bizarre. On donne de jolis noms à de jolis lieux : l'ère du bois des plaisirs, la basilique Notre-Dame… et parfois ces jolis lieux portent des noms célèbres que l'on veut honorer après ou même avant leur mort : la place Charles-de-Gaulle, la rue Saint-Remi… Dans les maladies qui nous préoccupent dans cet ouvrage, « on » donne vite son nom à ce qu'il y a de plus sordide pour l'homme : une maladie souvent difficile à guérir. Ceci pose question, ne trouvez-vous pas ?

Ce monsieur Alzheimer au prénom d'Aloïs est né le 14 juin 1864 à Markbreit, petit village de Bavière au sud de l'Allemagne. Il fit – comme on dit – de brillantes études de médecine à Berlin, Tübingen et Würzburg, où il soutint sa thèse sur les glandes cérumineuses (production de cire dans l'oreille). Il commença alors sa vie professionnelle comme médecin assistant des maladies mentales à Francfort.

L'état de démence était normal

Quand les gens vieillissaient, on considérait normal que l'artériosclérose bouche un peu partout les conduits circulatoires et que les vieux « perdent ainsi la tête ». Il y en avait dans toutes les familles. Le docteur Alzheimer se contenta de donner son nom aux maladies des personnes présentant ces symptômes de pertes de mémoire, de compréhension, d'orientation… Il pratiqua des autopsies sur des personnes atteintes de ces comportements amnésiques. Il observa au microscope dans le cortex des lésions et des amas de fibrilles dans les neurones, comme on peut en trouver chez des personnes très âgées en fin de vie. Le professeur Kraepelin dissocia alors entre les malades atteints de la maladie d'Alzheimer (démence dégénérative du patient jeune) et les personnes âgées (démence vasculaire).

Un premier article

En 1907, Le docteur Alzheimer publia un premier article intitulé « une maladie caractéristique grave du cortex cérébral». Il y décrivait ses patients : dégradation forte de la mémoire – désorientation – conduite désordonnée… Il met déjà en évidence dans le cortex des plaques ou foyers hirsutes très particuliers. En 1912, il est nommé directeur de la clinique psychiatrique de l'université de Breslau en Pologne. Mais il meurt en 1915.

L'étendue du désastre

Dans cette maladie, on mélange un peu tout. Ainsi on dit que 10 % des personnes âgées de plus de 90 ans ont cette maladie. N'est-ce pas tout simplement une vieillesse avancée ?

En revanche, 2 % de personnes entre 75 et 80 ans en seraient atteintes. Les chiffres varient selon les pays. On trouve 100 000 nouveaux cas de malades par an en France. Il y aurait 15 millions de personnes atteintes dans le monde. Les femmes sont plus concernées.

Comment la reconnaît-on ?

Les troubles de mémoire (surtout), du langage, des gestes, des peurs, des attitudes étranges, indiquent des neurones abîmés.

Dès les premiers symptômes inattendus de perte de mémoire, il faut réagir. Je connais une personne qui a inversé le processus, sans le savoir, par des activités nouvelles offertes par le plus grand des hasards. Souvent le début progressif de la maladie est insidieux : on met cela sur le compte de l'âge…

Lorsque mamie se trompe beaucoup dans la

tenue de ses comptes et fait de plus en plus n'importe quoi dans la tenue de son budget, confond 10 € et 100 millions, dépense à tout va, distribue ses sous, lorsqu'elle n'est plus autonome dans ce domaine, il y a alerte rouge. Si le téléphone commence à lui poser problème, si elle mélange tout dans la prise de ses médicaments – un Français en prend 10 par jour après 70 ans, il y a de quoi perdre la tête ! –, il faut alors aviser. Quand la conduite automobile devient vraiment beaucoup trop improbable, il faut se prendre par la main. Il y a des choses à faire, c'est l'objet de ce livre. Car la maladie est réversible.

On perd son autonomie

Au début, le malade reste autonome : il parle de moins en moins, il a des troubles de mémoire de plus en plus prononcés mais il peut encore vivre seul.

Je me souviens d'une histoire vécue en famille qui nous a beaucoup marqués et fait rire, nous les enfants (nous sommes cruels !). Nous étions tous invités chez ma tante un dimanche midi : on se réjouissait du grand pot-au-feu traditionnel, qui mijotait dans une énorme marmite. C'est un plat qui fournit tout le repas : le bouillon d'entrée, puis la viande, les légumes variés, et même le fameux os à moelle. Nous étions à peine arrivés quand ma tante alla chercher dans la réserve une pelle à main de charbon. Elle se précipita dans les toilettes et vida sa pelle dans la cuvette, puis se mit à rire... de sa bêtise. Quand elle en sortit et qu'elle nous eut raconté, nous avons passé un moment inoubliable. D'un coup, elle se reprit, «fonça» donc chercher une autre pelle, s'approcha de la cuisinière à charbon de nos campagnes, souleva le couvercle de la marmite et y versa le contenu de sa pelle... Le repas était terminé et elle n'était toujours pas allée aux toilettes, n'avait pas remis de combustible au feu, n'avait pas jeté un œil à la cuisson, geste devenu obsolète. Heureusement que nos campagnes avaient des ressources : le grand coq prévu pour Pâques fit l'affaire.

Hélas, la phase démentielle mène ensuite à une perte d'autonomie car notre malade devient désorienté dans l'espace et le temps. Cette phase peut durer 20 ans comme se terminer rapidement par la mort.

L'examen du cerveau après la mort montre des dépôts de neurones en dégénérescence dans le cortex.

Diagnostiquer la maladie

Le mieux est de s'en prémunir. Mais nos conseils en matière de vie saine et alimentation correcte ne sont pas très suivis : « il faut bien mourir de quelque chose », entend-on souvent !

Il est donc utile d'établir le diagnostic

Hélas, il n'existe aucun test unique et sans faille. Les comportements indiqués précédemment sont une bonne indication. Les antécédents familiaux du même genre en sont une autre. On peut aussi tester les capacités mentales de mémoire, goût à la vie. Un certain nombre de tests médicaux sur l'imagerie du cerveau peut aider aussi. Ensuite, on décline tout cela en « stade léger » ou « stade avancé ».

La maladie à corps de Lewy

Ce M. Lewy a aussi donné son nom au dépôt anormal dans le cerveau d'une protéine dite alpha-synucléine. Ceci entraîne la démence dans les zones de la pensée et du mouvement : tous les symptômes de pertes qu'on a décrits dont, en premier, celui de la mémoire. Il n'existe aucun médicament capable d'enrayer ce phénomène dégénératif, ni même de « dissoudre » ces toxines. On pense donc tout de suite aux techniques naturelles nouvelles de détoxination dans le cerveau même. On en reparlera.

La démence vasculaire

Le système vasculaire fournit de l'oxygène au cerveau. On observe ici des blocages et des maladies de ce système, ce qui empêche le sang de bien arriver au cerveau. Si la circulation est complètement bloquée, la personne risque de faire un AVC : accident vasculaire cérébral. La zone qui n'est plus irriguée entraîne des paralysies dues aux fonctions qui ne sont plus exécutées. Ceci arrive subitement. On peut effectuer une gammagraphie du cerveau pour vérifier s'il n'y a pas de rétrécissement cérébral des vaisseaux. L'hypertension, le mauvais cholestérol en excès et le diabète sont des facteurs aggravants.

La maladie de Creutzfeldt-Jacob

C'est une autre maladie dégénérative du cerveau. On observe une dévastation de zones du cerveau avec destruction des cellules. La forme la plus connue est une maladie liée à la consommation de bœuf provenant de bovins infectés par l'ESB (encéphalopathie spongiforme bovine). Elle attaque le système nerveux et si la maladie se développe, elle est mortelle. Elle n'infecte normalement que les animaux de mêmes espèces ou connexes. D'autres maladies à prions comptent la tremblante du mouton, l'encéphalopathie des cervidés. Tout ceci a eu les honneurs répétés de la presse affolante.

Les signes précoces de l'arrivée d'Alzheimer

Des études françaises

L'INSERM de Bordeaux a mis en évidence sur 3 800 personnes des signes précis avant-coureurs. Déjà 5 à 15 ans avant la déclaration de la maladie proprement dite, on note des troubles précoces de la mémoire et de la concentration. Les scientifiques affirment que la maladie est annoncée plus de 10 ans avant son diagnostic. Des personnes qui ont passé des tests neuropsychologiques ont été suivies tous les ans. Les résultats des tests des patients ayant contracté la maladie ont démontré que certains signes avant-coureurs étaient déjà présents 10 à 13 ans auparavant. De même, les sentiments dépressifs apparaissent 8 à 10 ans avant également, tout comme la difficulté à réaliser des tâches un peu compliquées sans se tromper, comme téléphoner, utiliser correctement l'argent, s'observe dans les 5 à 6 ans avant que la maladie ne soit avérée. C'est la revue spécialisée américaine *Anals of Neurology* qui publia ces conclusions.

Le Pr Orgogozo écrit que « c'est beaucoup, beaucoup plus long que ce que l'on pensait jusqu'ici ». Il énonce encore : « Les troubles décrits dans l'article se manifestent 6 à 12 ans en moyenne avant le diagnostic, c'est-à-dire 3 à 9 ans avant que l'on arrive à les détecter dans les centres spécialisés. C'est la confirmation clinique des données neuropathologiques, apparition de lésions cérébrales, imagerie cérébrale chez les sujets à haut risque, avant les premiers signes observables de déclin. » On comprend ici l'importance de cette constatation. C'est aussi la démonstration convaincante, à grande échelle, de cette longue dégradation silencieuse, qu'il faut enrayer selon le principe que « aux mêmes causes, les mêmes effets ». Changeons les causes !

Une certaine impuissance

Dans le cadre d'une certaine impuissance de guérison de cette maladie, cette observation n'a pas d'intérêt. Le spécialiste écrit, en effet : « Aucun traitement n'est actuellement capable de bloquer ou de réellement ralentir la maladie. » Mais dans le cadre de ce livre où on explique comment l'éviter, la freiner, la guérir, cela devient formidable. On peut tout simplement « déprogrammer » l'apparition de la maladie. Il est vrai qu'aucun médicament ne réussit mais on peut faire en sorte d'inverser le chemin qui a conduit à cette maladie.

Quels sont les signes ?

Revenons-y !

- la célèbre perte de mémoire
- la perte totale de mémoire quant aux événements récents
- difficulté à préparer les repas
- langage difficile à comprendre : des mots oubliés
- désorientation dans l'espace : on se perd dans son environnement familier
- désorientation dans le temps : on mélange tout
- perspicacité moindre : on ne met pas les habits chauds quand il fait froid
- troubles pour faire ses comptes et se servir de son carnet de chèques
- perte des objets car ils sont rangés à des endroits inattendus
- on se met à pleurer sans raison
- on devient méfiant et renfermé
- on ne parle plus
- plus rien n'a d'intérêt, on devient passif.

Les prédispositions

Voilà un chapitre bien scabreux, cependant nécessaire. Bon nombre de nos semblables s'affolent pour rien : ils n'ont pas le profil type à développer cette maladie. Pourquoi se soucier ?

Le profil psychologique type

Ce sont souvent des dames. Celles qui ne prennent jamais aucune responsabilité, ne sont pas actives, fuient les autres, demeurent cloîtrées, sont toujours tristes, soupirent beaucoup. Celles qui veulent bien aider les autres mais seulement si on les y pousse, si on les emmène. Elles sortent le moins possible, même pour faire leurs courses. Toute vie sociale les fatigue. Elles sont souvent silencieuses. Elles n'aiment pas les jeux. Elles répètent inlassablement : « ah ! je n'ai plus de mémoire », au lieu de s'exercer. Un faible niveau de scolarité, un manque d'exercices intellectuels, peu de réflexion, semblent indiquer un terrain propice.

L'âge

Après 85 ans, le risque est bien réel : environ 1 personne sur 4 est candidate.

Les facteurs de risque

L'artériosclérose, l'arthrite, des troubles cardio-vasculaires, le diabète, l'hypertension, le tabagisme et l'alcoolisme, sont des facteurs de risque. En fait, tout ce qui abîme les veines et artères. Le mode de vie malsain, la grande consommation de gras animaux, l'exposition à l'aluminium et au plomb sont néfastes.

L'Australie prend de l'avance

Santé naturelle : l'Australie en tête

Sur chaque produit manufacturé, par exemple, il y a obligation d'y apposer l'index glycémique, alors qu'en France bon nombre de diététiciennes ne savent même pas ce que c'est !

Le ministère des Affaires étrangères communique

« Traitement de la maladie d'Alzheimer : PBT2 détruit la ß-amyloïde soluble chez les souris.

La neurodégénérescence associée à la maladie d'Alzheimer est caractérisée par la formation d'agrégats protéiques toxiques extra-cellulaires dont la ß-amyloïde ou Aß. Selon des études récentes, un dérèglement de l'homéostasie cellulaire de certains ions métalliques, et en particulier du cuivre et du zinc, serait impliqué dans l'accumulation de Aß. Ces ions métalliques, en se fixant aux amyloïdes, favorisent son agrégation et la formation de plaques insolubles.

Il a été démontré que le clioquinol, un dérivé

8-hydroxyquinoline, qui favorise le transport intracellulaire de ces métaux, augmente les concentrations intracellulaires de cuivre et de zinc, et diminue la concentration en Aß chez les souris transgéniques, modèles de la maladie.

Des chercheurs australiens du Mental Health Research Institute à Melbourne, de l'université de Melbourne, de l'université Monash, de Prana Biotechnology Ltd, ainsi que des chercheurs britanniques et américains, ont testé avec succès la deuxième génération d'hydroxyquinoline-8 connu sous le nom de PBT2 sur deux modèles transgéniques de souris. Administré par voie orale, PBT2 diminue fortement la quantité d'Aß interstitiel soluble en quelques heures, et restaure intégralement les capacités cognitives au bout de quelques jours.

Les résultats des essais cliniques seront publiés prochainement. PBT2 a été développé par la firme de biotechnologie Prana, à Melbourne. »

Dépistage précoce

Ce pays développe encore aussi un programme informatique de dépistage.

Les chercheurs du Centre for Human Factors & Applied Cognitive Psychology de l'université du Queensland (Australie) ont conçu un test sur ordinateur pour le dépistage précoce et le suivi de la maladie d'Alzheimer.

Cogni-screen est un programme informatique qui permet à des médecins de faire passer des tests à leurs patients. Ces derniers répondent verbalement à des questions et doivent réagir à des images présentées par l'ordinateur. Les résultats sont ensuite comparés et analysés par rapport aux dernières performances du patient, ainsi qu'à celles de personnes comparables (du même âge, du même sexe et d'un même niveau d'éducation). Cela permet de mesurer entre deux séances l'évolution éventuelle de la maladie.

Le système se veut « peu coûteux et très facile d'usage ». Cette méthode devrait être bien acceptée par le corps médical dans la mesure où Alzheimer est une maladie longue et coûteuse à diagnostiquer. Il faut en effet rappeler qu'un diagnostic précoce de la maladie d'Alzheimer est extrêmement important, surtout avec l'arrivée de nouveaux médicaments sur le marché, qui sont d'autant plus efficaces qu'ils sont pris de bonne heure.

« Cogni-screen est un des rares tests neuro-psychologiques basés sur la théorie de la mémoire des sons. Avec son programme, il devrait permettre de détecter très rapidement les premiers stades du déclin cognitif qui caractérise Alzheimer », précise l'un des concepteurs.

On estime à 6 % le pourcentage d'Australiens de plus de 65 ans (environ 140 000 personnes) souffrant de démence. Ce chiffre devrait être multiplié par trois d'ici 2051.

Toute perspective et information de ce type nous intéressent vivement.

Une mauvaise irrigation du cerveau responsable de la maladie

Selon une étude américaine annoncée sur le site www.laNutrition.fr, un afflux réduit de sang dans le cerveau pourrait être une cause de la maladie d'Alzheimer.

Des chercheurs américains viennent de découvrir une des causes possibles de la maladie d'Alzheimer : une réduction chronique du débit de sang vers le cerveau.

Les chercheurs de l'École de médecine de l'université de Chicago ont étudié les effets d'une baisse de flux sanguin sur le cerveau. Ils se sont alors aperçus que, quand le cerveau ne reçoit pas assez de sang, la formation des plaques amyloïdes caractéristiques de la maladie d'Alzheimer est favorisée.

Les amalgames dentaires sur la sellette

Les métaux lourds

Les métaux lourds sont présents dans les amalgames dentaires, mais aussi dans certains aliments. Ils constituent une cause non négligeable de l'apparition des maladies neurodégénératives du cerveau. En effet, ils se positionnent dans le cerveau et l'empêchent de fonctionner correctement.

Des savants viennent de publier une étude selon laquelle nous pourrions vivre de 140 à 150 ans si notre cerveau était exempt de toxines. Ils prévoient même de petits robots nettoyeurs implantés dans le cortex. C'est assez fou ! Mais le constat est intéressant…

France 2 a consacré récemment une émission sur le rôle des fausses dents, dont voici un extrait[1] :

« La confiance, c'est le maître mot de la relation patient/dentiste. Certains praticiens en

---

1. « Fausses dents, vrais doutes », *Envoyé Spécial*, début 2009.

abusent en important à prix réduit des prothèses dentaires (couronnes ou bridges) à l'insu des patients, tout en les facturant au prix fort. Ce sont ainsi 1/3 des prothèses mises en bouche qui seraient importées, notamment de Chine. Personne ne peut sérieusement garantir la conformité des matériaux qui composent ces prothèses étrangères. Une situation d'autant plus préoccupante que d'autres matériaux dentaires (tel le mercure des plombages) continuent de faire polémique sur leur toxicité. Des études internationales contredisent les conclusions des rapports français qui jugent le mercure dentaire inoffensif. Des personnes se disent malades du mercure à cause de leurs plombages »

Lors de cette émission, Marie Grosman a pu évoquer les nombreuses études internationales et le transfert placentaire. Le professeur André Picot a pu parler des effets sur les neurones et du possible lien avec la maladie d'Alzheimer. Il a montré la vidéo de la faculté de médecine de Calgary. J.-M. Bousquet a accepté de témoigner.

Denis Lebioda a réalisé une synthèse d'informations obtenues sur différents sites

Internet et listes de diffusions, et nous les fait connaître[1].

« Le ministère français de la Santé a ouvert un forum sur Internet sur le thème "Propositions de la Commission Alzheimer : donnez votre avis". Marie Grosman (agrégée de sciences de la vie et de la terre, coprésidente de l'association Non au mercure dentaire) et André Picot (directeur de recherche honoraire au CNRS, président d'ATC Toxicologie) viennent de déposer une contribution. »

« Qu'attendons-nous d'un réel plan Alzheimer ? En premier lieu, qu'on se préoccupe enfin de rechercher les causes de cette pathologie... »

En effet, si la rapide progression de cette maladie est en partie liée à l'augmentation de l'espérance de vie, l'élévation de l'incidence (ou nombre de nouveaux cas) au cours des décennies précédentes pour les mêmes tranches d'âge permet de suspecter l'importance de facteurs environnementaux.

Nous pensons qu'il est primordial de tout mettre en œuvre pour appréhender l'étiologie

---

1. Denis Lebioda, *in* revue *Actualités*, 23 novembre 2007.

de cette maladie afin de la prévenir, en recherchant les substances toxiques contribuant au développement de cette terrible pathologie.

Parmi les toxiques pouvant être incriminées (aluminium, plomb, mercure…), le mercure des amalgames dentaires apparaît être un des meilleurs candidats : de très nombreuses études scientifiques, publiées dans d'excellentes revues à comité de lecture, constituent en effet un important faisceau de présomption.

Rappelons ici que les amalgames contiennent environ 50 % de mercure, dont une partie non négligeable s'échappe sous forme de vapeurs qui seront inhalées, entraînant au final l'accumulation de mercure dans le système nerveux central dont le cerveau.

Résultats d'études : le mercure suspecté

L'incidence de la maladie d'Alzheimer est en progression dans les pays industrialisés, et plus élevée dans les populations utilisant l'amalgame depuis des décennies (Europe, Amérique du Nord et Amérique du Sud…). Le seul pays industrialisé dans lequel la fréquence de la maladie d'Alzheimer est restée à un niveau beaucoup plus faible est le

Japon, pays où l'on utilise très peu l'amalgame dentaire.

Le cerveau des porteurs d'amalgames subit une exposition au long terme à de faibles doses de mercure, neurotoxique avéré. L'imprégnation mercurielle du tissu cérébral est surtout corrélée au nombre d'amalgames, et augmente peu à peu au cours de la vie.

Le cerveau et le sang des personnes souffrant de la maladie d'Alzheimer contiennent plus de mercure inorganique que ceux des personnes non atteintes.

L'exposition à de faibles doses de mercure élémentaire entraîne dans le cerveau un ensemble de perturbations cellulaires caractéristiques du syndrome Alzheimer : les trois marqueurs de cette pathologie (accumulation de protéine – amyloïde, hyperphosphorylation de la protéine Tau et formation d'amas de neurofibrilles) sont clairement identifiables.

Les vapeurs de mercure inhalées remontent par la voie olfactive jusqu'au bulbe olfactif où de grandes quantités de mercure s'accumulent, entraînant des déficits olfactifs. Or, la perte de l'odorat est souvent observée chez les malades d'Alzheimer, elle est même considérée comme une aide au dépistage précoce de cette pathologie.

Tous les porteurs d'amalgames sont exposés aux vapeurs de mercure, mais seules les personnes possédant des mécanismes de détoxication peu efficaces ont un risque élevé de développer la pathologie. Ces mécanismes sont sous dépendance génétique ; en particulier, il s'agit des gènes de l'apolipoprotéine E, molécule impliquée dans l'élimination du mercure stocké dans le cerveau.

Il existe donc une forte probabilité pour que le mercure des amalgames soit un facteur étiologique majeur de la maladie d'Alzheimer (et des autres pathologies neurodégénératives), ce qui ne signifie pas que d'autres facteurs environnementaux ne puissent être aussi incriminés, la maladie d'Alzheimer étant une maladie multifactorielle.

Il serait inconcevable que le plan Alzheimer ignore cette réalité scientifique.

Il est au contraire indispensable de dresser l'état des lieux de la relation entre le mercure dentaire et la maladie d'Alzheimer, ainsi que les autres maladies neurodégénératives, tout mettre en œuvre pour abaisser l'exposition de la population au mercure, en commençant par arrêter l'utilisation des amalgames dentaires, première source d'exposition au mercure dans les pays développés.

Vérités sur les maladies émergentes de Françoise Cambayrac

Françoise Cambayrac, dans son ouvrage[1], écrit : « La fibromyalgie, la fatigue chronique, la spasmophilie, les maladies auto-immunes, les allergies et intolérances alimentaires, mais aussi les maladies neurodégénératives comme la maladie d'Alzheimer, de Parkinson, la sclérose en plaques, l'autisme, l'hyperactivité etc., seraient presque toujours liés en cofacteur principal, à une intoxication aux métaux lourds, issue le plus souvent des amalgames dentaires au mercure, ainsi que des vaccinations à répétitions ! »

On apprend notamment que l'intoxication aux métaux lourds est très difficile à mettre en évidence car étant lourds par définition, ces métaux vont se loger au cœur de nos tissus (en particulier le cerveau et autres tissus

---

1. *Vérités sur les maladies émergentes*, Éd. Pietteur Marco, Médecine et société, 2007.

graisseux, puis les reins) et seule une biopsie pourrait révéler de façon irréfutable le taux d'intoxication !

Il existe cependant plusieurs techniques de dépistage, la plus fiable étant actuellement le test mis au point par l'IBCMT (International board of chelation metal toxic), cf. : http://www.ibcmt.com.

À noter que le test salivaire est intéressant, pratiqué par certains laboratoires, et facile à réaliser.

Les laboratoires de référence sont en Allemagne :

- Micro-trace : 00 49 91 51 43 32.
- Laboratoire de Brême :
  00 49 421 207 21 11.

Il existe des techniques de chélation des métaux lourds, et celle pratiquée pour les graves intoxications, avec le DMPS, qui s'administre par intraveineuse doit être réalisée par un médecin dûment formé. La dépose des amalgames dentaires, opération à haut risque et devant être pratiquée aussi par un dentiste dûment formé, est conseillée à cette occasion. Le DMPS étant un produit très puissant, il convient de la réserver pour les graves intoxications.

La désintoxication semble nécessaire pour tous. On peut la réaliser plus simplement et naturellement.

Dernières recherches liées aux soins du cerveau : quoi de neuf ?

Aujourd'hui, les nouveaux IRM rendent possible l'exploration du corps entier en une seule séance. Cette détection combinée à la technologie du laser permet de détruire une tumeur au cerveau sans abîmer les autres tissus, alors que, jusqu'à présent, on faisait usage en même temps de la chimiothérapie, de la chirurgie et de la radiothérapie. De nouveaux appareils voient donc le jour. Ce n'est pas fini puisque, en 2012, le centre de recherche et d'imagerie du cerveau dans le département de l'Essonne possédera l'IRM la plus performante au monde. On pourra lire davantage de choses dans le cerveau et notamment les mécanismes de la pensée.

La médecine allopathique continue sa prospection concernant la maladie d'Alzheimer. Le neurologue Bruno Dubois, explique que, en 2013-2014, nous entrerons dans une autre phase de la maladie avec des médicaments qui devraient bloquer son évolution, et surtout des moyens de la dépister avant les premiers symptômes. Mais cela sera-t-il suffisant?

Toujours en rapport avec le cerveau, un médicament permettant d'effacer les souvenirs traumatisants est en cours d'expérimentation. Il s'agirait de créer une amnésie sélective, les souvenirs non traumatisants étant conservés. Ce médicament serait destiné principalement aux victimes d'attentats, de viols, de catastrophes.

Désacidifier le corps

La mémoire, premier test de la maladie

La mémoire est une fonction cérébrale. Quand on perd la mémoire, c'est que le cerveau fonctionne moins bien. Nous dirons qu'il se sclérose, c'est-à-dire qu'il vieillit prématurément. Ce vieillissement est normal à condition que cette mémoire ne nous fasse pas défaut trop vite. La sclérose est un phénomène de terrain inadapté et d'affaiblissement par carences. Avant que de « doper » le corps par des bons nutriments et des compléments alimentaires, il est plus intelligent de lui restituer ses conditions optimales de fonctionnement. Allons-y donc !

L'état du terrain est tout. L'hyperacidification et l'oxydation prématurée sont les deux phénomènes principaux de déclin.

Heureusement tout « se répare ». Vous avez compris que les médicaments ne font rien à l'affaire. Reprenons ce que j'écrivais à propos de la maladie d'Alzheimer.

Une bonne santé requiert un terrain en équilibre acido-basique. Un terrain acide est le « lit » des maladies actuelles, dont la maladie d'Alzheimer. La quasi-totalité des organismes des pays modernes est trop acidifiée.

Le nettoyage de l'organisme[1] se fait par les organes émonctoires qui sont « bouchés » pour la plupart par le fait que les toxines se cristallisent et deviennent solides en terrain acide et donc obstruent le passage. Beaucoup de femmes (50 %) se font enlever la vésicule biliaire au cours de leur vie. Les calculs et « sables » l'ont envahie, l'inflammation en a suivi : il faut l'enlever ! Et cet organe de nettoyage ne nettoie plus. On peut l'éviter.

L'objectif est de retrouver un terrain basique, qui seul permet la libération des toxines accumulées. Un terrain acide est favorable à l'apparition et au développement du diabète, alors qu'un terrain basique nous redonne les capacités pour rester en bonne santé.

---

1. Extrait de mon livre, *Nouvelles Clés pour mieux vivre*, Éditions Médicis, 2006.

Comme l'a dit Pasteur à la fin de sa vie : « le terrain est tout ».

Plusieurs techniques de nettoyage existent. Commençons par la plus efficace.

L'alimentation est en effet l'une des clés. Seuls deux groupes d'aliments ne sont pas acidifiants : les légumes crus et les fruits crus bien mûrs, de saison et mangés en dehors des repas (sauf la tomate et l'orange qui acidifient). Les aliments les plus acidifiants sont la viande, l'alcool, les sucres industriels, les produits laitiers animaux. Nos cellules sont également acidifiées par la pollution, la fatigue, la cigarette, l'alcool, les drogues, le stress. Une étude relatée dans *The Ifava Scientific Newsletter* a montré que le régime méditerranéen, composé notamment de fruits et de légumes et de bonnes huiles, permet de diminuer le risque de maladie d'Alzheimer. C'est évident !

La maladie d'Alzheimer requiert pour exister un terrain « favorable », et l'excès d'acidité est ce terrain. Si on se trouve dans cette configuration, il faut corriger.

On fera donc des cures de type cure de citrons (on boit du jus de citron en dehors des repas au printemps), cure de raisins (à l'automne, on ne mange que du raisin pendant plusieurs jours). On prendra des produits naturels désacidifiants. Il en existe dans le commerce de plus ou moins bon équilibre quant à leur conception. Pour éviter les rendez-vous ratés avec certains de ces produits, nous avons créé Acty 8[1]. Des draineurs homéopathiques ou des plantes (sève de bouleau, décoction de feuilles de cassis…) compléteront ce travail d'épuration. Il est aussi conseillé de jeûner une fois par semaine.

---

1. Acty 8 est un complément alimentaire désacidifiant, composé notamment de citrates, disponible auprès de l'auteur.

Prenons des antioxydants

Gare aux radicaux libres

Les radicaux libres, sortes de molécules errantes et instables, attaquent les lipides, qui s'oxydent alors et créent des toxines, poisons de l'organisme. Ils contribuent au vieillissement prématuré du cerveau notamment, générant des lipofucines au niveau cérébral, puis l'artériosclérose.

Comment combattre ce phénomène ? Toute action antioxydante est donc bénéfique. Participent à cette action les vitamines du groupe B, notamment B1, B2, B6, B9, les vitamines C et surtout E, ainsi que la vitamine A. Le zinc, le fer, le cuivre et surtout le roi sélénium ont une action prépondérante.

Les nutriments apportant le plus de vitamines B sont : graines germées, céréales complètes, légumineuses, noisettes, amandes, œufs, foie, légumes verts, saumon, maquereau... Les compléments alimentaires et les aliments contenant le plus ces apports ont donc ici leur place de choix !

Il faut aussi éviter certaines circonstances néfastes comme les séances de radiothérapie, la prise d'alcool, de tabac, les expositions exagérées au soleil, trop de médicaments, un mauvais équilibre en minéraux et oligo-éléments.

La mort prématurée

L'oxydation d'un clou, c'est la rouille et « sa mort » prématurée. Nos cellules s'oxydent.

Rappelons les principaux antioxydants[1] :

- le ginkgo biloba
- la vitamine C
- la vitamine E
- la vitamine P
- la provitamine A ou bêta-carotène
- le zinc
- le sélénium
- la superoxyde dismutase (SOD) et la glutathione peroxydase (GPx)
- l'huile de son de riz
- l'acide alphalipoique
- le coenzyme Q10
- le jus d'herbe d'orge
- l'extrait de papaye fermenté.

---

1. Voir mes livres *Les Compléments alimentaires*, Éditions Médicis, 2006 et *Désoxyder votre corps*, Éditions Médicis, 2009.

Réformons notre alimentation

On peut manger de meilleurs (au goût) nutriments tout en appliquant un peu mieux les bons préceptes. J'ai écrit des quantités de livres sur le sujet et je ne peux pas ici me répéter une fois de plus.

Quelques notions de diététique

Mangez beaucoup de légumes crus et des fruits de saison bien mûrs, hors des repas. Évitez les produits laitiers animaux, le sucre industriel, beaucoup de viande, l'excès de médicaments. Diminuez le pain qui abîme vos intestins. Prenez de bons gras (oméga 3 et 9) grâce aux huiles de première pression à froid d'olive, noix, colza, lin, cameline. Prenez de bonnes céréales (sarrasin, millet, quinoa, riz, petit épeautre). Évitez l'alcool et le café. Innovez souvent avec de bons nutriments…

Faites une place de choix aux graines germées

Certes, les graines germées figurent dans l'un de mes livres[1] mais elles devraient être plus qu'un complément alimentaire et faire partie intégrante de notre alimentation. C'est ainsi que nous les recommandons[2].

Elles sont une véritable mine de vitamines, minéraux et oligo-éléments qui se trouvent décuplés par rapport à la graine même, un peu comme si la vie naissante offrait son trop-plein d'énergie vitale nutritive. Leur absorption facilite l'assimilation du calcium et nourrit très fortement le cerveau : on pourra en recommander l'usage renforcé dans les périodes d'examens par exemple, ou dans les convalescences et les maladies graves, comme les maladies du cerveau.

Le procédé de germination est assez simple, sans même avoir recours aux germoirs, puisqu'il s'agit de les faire germer dans un peu d'eau à changer chaque jour. Au bout de 3 jours de germination, on peut les ajouter à sa nourriture quotidienne. Les graines les

---

1. *Les Compléments alimentaires*, Éditions Médicis, 2006.
2. *Les graines germées*, Éditions Médicis, 2006.

plus riches et intéressantes sont : la luzerne (ou alfalfa), le fenugrec qui est l'ami du foie, le tournesol, sans oublier le radis noir, l'artichaut, la lentille, le fenouil, le pois chiche, le seigle, le brocoli, le navet.

On peut saupoudrer ces graines sur les crudités ou les manger comme des crudités, les ajouter à des purées, des gratins, des soupes, des gâteaux, des sandwichs. Ces graines germées respectent l'équilibre alimentaire parfait.

N'ayons pas peur des mots : les graines germées sont le meilleur complément alimentaire. Donnez-en à vos oiseaux en cage et observez-les, vous comprendrez !

Dès à présent, si vous avez envie de redonner un peu de tonus à votre mémoire, les aliments qu'il vous faudra privilégier sont les suivants :

- les graines germées, notamment le germe de blé
- les amandes, le soja en grains, les céréales complètes (pour le magnésium, mais aussi les lécithines et glucides lents)
- les oméga 3 que l'on trouve dans certaines huiles mais aussi les poissons gras
- les vitamines du groupe B, présentes dans les crudités, les fruits, les céréales complètes, le foie.

Réactivons la circulation sanguine dans le cerveau

Cela signifie qu'augmenter le débit de sang vers le cerveau pourrait être une approche thérapeutique efficace pour prévenir ou traiter la maladie d'Alzheimer, soulignent les spécialistes qui espèrent ainsi développer de nouvelles stratégies contre cette maladie.

Je suis tout à fait de cet avis car, à chaque fois que j'ai conseillé de faire circuler le sang, la maladie a régressé. C.Q.F.D.!

Quels compléments utiles?

Le ginkgo biloba est de première nécessité. Nous le présentons en détail ici dans cet ouvrage. On pourra y ajouter le marron d'Inde, la petite pervenche, les brocolis, le thé vert, les feuilles de myrtille, l'olivier en bourgeons et l'aide de l'homéopathie. Nous vous présentons ici ces produits en détail un peu plus loin…

Des examens Doppler vous renseigneront sur l'état d'avancement de votre travail de réforme de la circulation.

Faire fonctionner les intestins

Un humain se porte bien quand il va bien du gros intestin ! Tout dysfonctionnement de ce côté-là, de type constipation, doit être réparé. Les mauvaises bactéries envahissent les intestins qui fonctionnent mal. Ceux qui sont perméables, telles les parois du gros intestin et du côlon, voient ces bactéries quitter le navire et attaquer le cortex : ce sont les maladies comme Alzheimer, ou le pancréas : c'est le diabète, ou le foie, etc. C'est ce mécanisme atrophié qui est facteur d'infections, cystites, asthmes, dermatoses, etc.

C'est aussi dans les intestins que se fabrique l'immunité, c'est-à-dire la lutte contre les agressions et pas seulement – loin s'en faut – le froid de l'hiver. Des intestins faibles et l'immunité s'écroule. C'est vous qui voyez !

Les enzymes intestinaux hydrolysent les protéines en acides aminés et en dipeptides assimilables. Ceux-ci permettent l'absorption des acides gras.

Allons à la source du problème en remettant en état de marche les intestins. Il convient de faire des cures de chlorure de magnésium : on prend une cuillère à café dans un verre d'eau et cela tous les jours, voire plusieurs fois par jour, jusqu'à ce que cela fonctionne à nouveau.

On accompagne cela de ferments probiotiques et fibres prébiotiques, pour réensemencer la flore intestinale en milliards de bonnes bactéries. Les symbiotiques sont un complexe qui associe pré et probiotiques.

Les oméga 3 seront un bon associé. S'il y a en plus une inflammation des muqueuses, l'on peut prendre des graines de psyllium riches en mucilages, qu'on laisse tremper au préalable 2 heures dans un verre d'eau. Celles-ci vont « aspirer » le feu en excès et réparer les microplaies et fissures perméables.

Le fruit canneberge (aussi en gélules) sera aussi un bon allié.

Le curcuma et la cannelle, en plante ou en huile essentielle pour la cannelle sont bien actifs aussi pour renforcer la muqueuse intestinale. À utiliser avec doigté[1].

---

1. Voir mon livre *Les Huiles essentielles pour toute la famille*, Dangles, 2009.

En résumé, je dirais que les études les plus récentes mettent en évidence que les maladies graves, et notamment les maladies dégénératives du cerveau, ne peuvent se réparer sans remise en état des intestins. Ses fonctions sont digestives certes, mais immunitaires, endocrines, métaboliques, neurologiques.

C'est ici que réapparaît le triste rôle des produits laitiers animaux qui mettent ces intestins en chaos complet[1]. Il ne faut pas compter guérir de la maladie d'Alzheimer si on s'obstine à consommer du lait et du fromage couramment.

---

1. Voir mon livre *Le Lait ami ou ennemi*, Éditions Médicis, 2008.

La paix thérapeutique

Il nous arrive souvent de prendre des médicaments. Certains en prennent beaucoup : 20 par jour![1] La France est le pays qui consomme le plus de médicaments (par habitant) au monde : en moyenne 50 boîtes par personne et par an. La France est aussi la plus grande consommatrice du monde d'antidépresseurs et tranquillisants. Triste record ! Un Français sur 7 consomme des psychotropes. Nous battons les États-Unis de 40 %. Cette consommation a doublé en dix ans. Après 70 ans, un Français prend 10 médicaments en moyenne par jour. Médaille d'or en Europe ! Une ordonnance française compte en moyenne 4,5 médicaments, contre 0,8 dans le nord de l'Europe. Où va-t-on ?

Le docteur David Servan-Schreiber écrit : « Comment justifier que les antidépresseurs soient prescrits aujourd'hui à une femme sur trois qui sort du cabinet d'un médecin ?

_____

1. Voir mon livre _Nouvelles Clés pour mieux vivre_, Éditions Médicis, 2008.

Comment expliquer qu'en France plus de 300 000 ordonnances d'antidépresseurs s'adressent chaque année à des enfants, malgré le manque de preuves de leur efficacité et le risque qui, lui, est démontré, d'aggravation des idées suicidaires ? Comment justifier une utilisation tellement généralisée que ces médicaments passent de l'urine dans les rivières, les poissons ? Et même, dans certaines villes européennes, dans l'eau potable ! » Le serment des naturopathes est simple : *primum non nocere* ce qui veut dire : d'abord ne pas nuire. Les médicaments présentant des effets secondaires graves sont à exclure évidemment. Il arrive fréquemment que les séquelles d'une longue maladie proviennent surtout des médicaments, la nature ayant fait son œuvre pour la maladie elle-même. Certains effets secondaires sont souvent irréparables.

La quantité de médicaments vendus dans le monde par an est insolente : 300 milliards de dollars. L'Europe, l'Amérique du Nord et le Japon réunis, soit 15 % de la population mondiale, consomment 84 % de ce chiffre. La France et l'Allemagne sont en tête des pays de l'Europe. Tout cela fait désordre !

On sait que tous les médicaments acidifient l'organisme, justement ce qu'il ne faut pas faire. On connaît aussi tous leurs effets secondaires, pas toujours énoncés d'ailleurs.

Les médicaments peuvent provoquer des maladies au lieu de les guérir, c'est l'iatrogénie. En France, une hospitalisation d'une personne âgée sur dix est due à cela. On passe facilement d'une dose dite normale à une dose toxique car elles sont très proches. « J'avais tellement mal », et l'on double la dose. Aux urgences à l'hôpital, on connaît des syncopes nombreuses qui en sont les effets. Ne parlons pas des erreurs de flacons, des interactions entre produits, des surdosages ou dosages inutiles. Une étude récente prouve qu'un tiers des Français a reçu des prescriptions contre le cholestérol sans détermination du LDL mauvais cholestérol, un tiers aussi avait eu cette détermination mais la valeur était inférieure à la valeur préconisée par l'AFSSAPS (Agence française de sécurité sanitaire des produits de santé) pour la prise de médicament.

Et Alzheimer dans ce contexte ?

Certains organismes, certains cerveaux sont pollués à outrance par des « chimios » à répétition, des prises de médicaments énormes en durée et en puissance de feu, des essais avec de « nouveaux » produits « venant des États-Unis » (quand on a dit ça, on a tout dit !)… C'est pire que les métaux lourds. Il faut maintenant reconstruire.

Commençons déjà par supprimer les médicaments pris depuis 20 ans par automatisme et qui n'ont aucun effet positif. On demande souvent : « pourquoi ce médicament ? » et la personne n'en sait rien…

La cause est entendue

1. Utilisons les lois de la nature pour réparer nos maux.

2. Faisons vérifier de façon contradictoire les prescriptions et surtout les dosages.

3. Un ou deux, ou trois jours par semaine selon sa détermination, organisons une journée de paix thérapeutique sans médicament. L'arrêt d'un jour ne change rien à l'efficacité du traitement et repose l'organisme. Tout le monde sait cela. « Le 7e jour, Il se reposa. » Ce jour choisi, mettons-nous au régime sans sucre industriel, ni produits laitiers, ni viande, ni pain. Mangeons alors force légumes crus et fruits de saison bien mûrs entre les repas.

Les bienfaits sont énormes. D'abord, on perd du poids si on en a trop (défavorable). Ensuite, l'organisme se déshabitue des médicaments qui, en outre, n'acidifient plus ce jour-là et seront ensuite plus efficaces. Et les autoréparations commencent…

Nourrir le cerveau

Bien nourrir le cerveau est une nécessité absolue car toute maladie, dont les maladies neurodégénératives du cerveau comme Alzheimer, montre des carences minérales, en acides aminés et vitamines.

Comme les principes d'une bonne nutrition semblent un peu trop savants à certaines personnes, nous avons écrit un livre[1]. L'idée est d'y puiser de bonnes recettes, agréables au goût et recommandées pour la santé. Ici, on ne se casse plus la tête, on ouvre n'importe où, et on mange en toute sécurité. C'est cette notion qui importe. Citons les principales « lois » qui y sont appliquées :

- consommer le moins possible de graisses saturées et trans
- raffoler des oméga 3 6 9
- éviter les sucres raffinés industriels
- échapper aux produits laitiers animaux
- profiter des bonnes céréales

---

1. *L'Apprentissage de la nutrition au quotidien. 265 assiettes sans fausse note*, Éditions Médicis, 2006.

- utiliser peu de viande mais du poisson, surtout le meilleur
- les fruits acides se consomment en dehors des repas
- manger varié, équilibré, riche
- réduire l'acidité et l'oxydation prématurée en usant à volonté des légumes crus et fruits crus en dehors des repas.

Ajoutons-y la nécessaire habitude du jeûne un jour par semaine, des cures de citron et de raisin pour désintoxiquer ce corps à qui nous voulons tant de bien[1]…

Bon nombre d'études scientifiques ont mis en évidence un lien certain entre l'alimentation et l'équilibre émotionnel, le bon fonctionnement du cerveau. C'est une évidence ! Les bons sucres (oublions le sucre raffiné industriel), les bons acides gras (oublions les gras saturés et trans), une grande présence de vitamines (préférons le cru pour cela), des minéraux et acides aminés riches, font notre capacité à apprendre, à comprendre, à imaginer, notre intelligence, notre mémoire.

---

1. Voir mon livre *La Cure de raisin, nettoyer son organisme*, Éditions Médicis, 2006.

Nous rendre bête !

Mon professeur en naturopathie, le docteur A. Passebecq enseignait que, pour mieux diriger, dominer un peuple, il suffisait de les bêtifier en les laissant mal manger. Pendant qu'ils parlent de leurs petites maladies à longueur de journée, ils oublient de revendiquer quant à la mauvaise gestion du pays.

Le cerveau

Depuis son fief dans le crâne, il dirige tous les mouvements et fonctions internes, dont la mémoire, la parole et les émotions. Ne faisant que 2 % de notre poids, il requiert 20 % de notre énergie alimentaire. C'est normal, c'est le chef !

Pour faire simple, les besoins les plus importants du cerveau s'expriment en graisses, bons sucres, fruits, légumes et poisson. Pour ce qui est du coca, de l'apéro, du vin, des pâtes, de la confiture et du fromage, il en est dédaigneux.

Le sucre

Le cerveau ne sait pas le stocker et il l'utilise en temps réel. Il doit être de bonne qualité, à index glycémique faible. Le taux de sucre dans le sang doit donc être constant, ni trop élevé, ni trop bas. Le cerveau n'apprécie pas l'équivalent de 25 morceaux de sucre contenus dans une seule bouteille de soda. Cette invasion l'abîme. Le « coup de pompe » de 11 heures (hypoglycémie) fait de nous un être apathique peu sympathique. Les fibres (sauf le pain que je ne recommande pas), les protéines régulent ces grandes variations néfastes. Les bons sucres engendrent la sérotonine, neurotransmetteur pour notre humeur, notre sommeil, etc. Le chocolat à dose correcte fait l'affaire ! Mais aussi et surtout les fruits crus de saison bien mûrs entre les repas, souvent : 2 ou 3.

Les acides gras

C'est vrai que vous le savez : il faut éviter les graisses saturées. En les évitant, il y en aura déjà trop. On les trouve dans les produits laitiers, le beurre, la margarine, les fromages, la Végétaline, les pâtisseries, les viandes, la charcuterie, les graisses animales, la graisse de coco et de palme, l'huile d'arachide. On en consomme 20 fois plus que les autres alors qu'elles sont à éviter. Elles fabriquent notre obésité, nos problèmes de diabète, cardio-vasculaires, inflammatoires, mauvais cholestérol, triglycérides… Elles tapissent l'intérieur de nos vaisseaux sanguins et les bouchent. Elles créent notre artériosclérose, nos conduits sanguins se bouchent dans le cerveau, c'est la perte de mémoire, Alzheimer, etc.

Il est nécessaire aussi d'éviter les graisses « trans ». Les huiles de première pression à froid sont de la forme « cis » et les huiles du commerce sont de la forme « trans ». Cette forme « trans » est considérée comme la forme « graisses saturées » qui abîment nos organes, notamment le cerveau et le cœur. On rabâche, on rabâche ! On trouve ces gras « trans » à l'état naturel dans certains aliments : produits laitiers, bœuf, agneau. Ils se forment aussi lors de l'extraction des huiles, plus ou moins selon le procédé d'obtention. Ces gras « trans » portent à une meilleure conservation dans le temps des pâtisseries (rentabilité). Cette déesse « rentabilité » a fait pas mal de dégâts ! Ils ont hélas tendance à faire croître les risques cardio-vasculaires, en augmentant le mauvais cholestérol LDL, et en diminuant le bon. Les principales sources alimentaires de gras « trans » sont : margarines animales, aliments frits, pâtisseries du commerce, huiles et graisses partiellement hydrogénées, craquelins, biscuits habituels, beignets, gâteaux de boulangerie, *muffins*, croissants, grignotines, frites, aliments panés. On peut y trouver là jusque 50 % de gras « trans ». À ce stade, ce sont de véritables poisons. Dans les aliments comme les produits laitiers, on en trouve 2 à 10 %.

Le ministère de la Santé a recommandé de consommer moins de ces mauvais gras cités ci-dessus.

La qualité des tissus du cerveau et des neurotransmetteurs se fait par les oméga 6, 9 et surtout 3. On en a déjà parlé dans ce livre.

Les minéraux

Tous les minéraux ont une action car ils nourrissent notre corps. Certains ont une action plus spécifique. Le calcium (crustacés, algues marines, chocolat, épinards, brocolis, fenouil) libère les neurotransmetteurs. Le roi magnésium (noix, céréales complètes, épinards, ananas) réduit la nervosité. Le fer (persil, viande rouge, fruits secs) favorise le transport d'oxygène. L'iode (algues, crustacés, saumon, air marin) stimule la thyroïde, maîtresse du système nerveux et des performances intellectuelles. Le phosphore (poisson, cacao, fruits à coques) participe à l'ossification.

Les vitamines

Ce sont les vitamines du groupe B que requiert le cerveau. Les vitamines B1 (bonnes céréales complètes), B3 (céréales), B6 (céréales, noix) favorisent le transport du sucre. Le petit-déjeuner s'en occupe donc. La vitamine B5 (céréales, jaune d'œuf) évite la fatigue. La vitamine B9 (légumes verts, œufs, noix) aide les neurotransmetteurs. La vitamine B12 (viande, volaille, poisson, œufs) active les fonctions du cerveau. Un ajout de poudre de germe de blé et/ou levure alimentaire fera l'affaire. On a observé de meilleures fonctions cognitives avec l'apport d'une supplémentation en complexes de vitamines B : très importants pour nos malades.

Les acides aminés

Nos neurotransmetteurs ont besoin des acides aminés, qui proviennent des aliments.

L'arginine des amandes (on en reparlera) et du chocolat noir (encore lui) est indispensable au bon fonctionnement du cerveau. La cystéine des œufs et du poisson remet de l'ordre. La glutamine des œufs et de la viande améliore la mémoire. La méthionine combat la fatigue et le stress. La phénylalanine renforce les transmetteurs. La taurine ragaillardit la mémoire. La tyrosine diminue la fatigue. Chacun a son rôle important.

L'eau

Il ne faut jamais en manquer sous peine de désordres sérieux.

Quelques plantes miraculeuses

On a surtout développé dans ce livre l'apport du ginkgo biloba.

Les plantes qui apaisent le cœur comme l'aubépine, l'esprit pour mieux dormir comme la verveine, camomille, passiflore, apporteront une aide supplémentaire.

Le Créateur nous a demandé de continuer la création

Demandons à chaque candidat à la maladie : « Qu'as-tu fait aujourd'hui ? » Mon grand-père ordonnait à ma mère de ne point me donner à manger si je n'avais rien fait de ma journée, pendant les vacances, alors que je n'avais que 10 ans. Ma mère pleurait et il restait intransigeant : « Va dans ta chambre. » Et je devais dormir le ventre vide, je ne l'oublierai jamais.

On se doit de vivre en société, d'avoir une vie sociale comme on dit maintenant. « Qui as-tu vu aujourd'hui ? » « Personne ? » « Et demain ? »

L'activité corporelle active les muscles et les cellules

Une dernière étude présentée à Eurocancer à Paris[1] a analysé les bénéfices d'une activité physique régulière, sur une population de plus de 500 000 hommes et femmes d'Europe. L'étude EPIC (*European prospective investigation into cancer and nutrition*), dirigée par le docteur Elio Riboli, responsable de l'unité « Nutrition et hormones » au CIRC (Centre international de recherche sur le cancer) a duré 7 ans et a démontré les effets suivants : entre une demi-heure et une heure d'exercice par jour réduit d'environ un tiers les risques de survenance du cancer du sein, du côlon, du rein, de l'endomètre. L'étude EPIC ouvre la porte à une solution qu'aucun médicament ne permet d'obtenir aujourd'hui. Les résultats sont là : on épargne des vies et on prévient les souffrances. Le docteur Elio Riboli explique que la mise en place est simple et accessible : « Avoir une activité phy-

---

1. Extrait de mon livre *Nouvelles Clés pour mieux vivre*, Éditions Médicis, 2006.

sique ne signifie pas que l'on soit inscrit à un club de sport huppé. C'est à la portée de tous. L'activité physique, c'est faire du vélo, du jogging, de la marche rapide ou du jardinage ou laver les vitres ou élever 7 enfants. »

Le docteur David Servan-Schreiber écrivait fin 2005 : « Dans tous les cas, l'exercice physique permet de réduire l'anxiété et les phases de dépression. On sait maintenant que l'exercice physique, même à faible dose, est aussi efficace qu'un antidépresseur. La dose moyenne nécessaire a été calculée dans une étude récente et elle est de 17,5 cal/kg/semaine. Pour moi, ça correspond à trois fois 30 minutes de jogging léger. À chacun de vous de faire son calcul ! »

Il est de notoriété publique que la surcharge pondérale et la sédentarité sont des facteurs majeurs des maladies cardio-vasculaires et du diabète. Nous savons aussi que les maladies cardio-vasculaires et le diabète sont elles-mêmes les principales causes de mortalité des pays riches, avec le cancer.

Il nous faut maintenant tous prendre les choses en main et nous discipliner davantage. Il faudra également compter sur les médecins pour diffuser cette information primordiale et également souhaiter que les politiques encouragent l'accès du sport en ville.

Évitons le stress ou, si nous ne pouvons pas le gérer, apprenons les disciplines antistress que nous pratiquerons chaque jour comme la méditation, la relaxation, le yoga ou la sophrologie. Pratiquons donc régulièrement une activité qui nous fait plaisir.

Ayons un cerveau toujours actif

Je connais l'histoire d'une personne de Béthune qui avait un début de maladie d'Alzheimer, laquelle s'est stoppée nette selon mon interlocuteur. Enquête faite, on s'est aperçu que cette personne âgée s'était inscrite à un club de jeux.

L'activité cérébrale – la recherche actuelle le démontre – réduit les risques d'être atteint de la maladie d'Alzheimer et autres maladies de dégénérescence du cerveau.

- Jouez à des jeux où le cerveau s'active : cartes, échecs, chiffres, casse-tête, mots croisés, etc.
- Allez suivre des cours d'une discipline plaisante
- Apprenez à jouer d'un instrument
- Modifiez la place de vos meubles
- Changez vos habitudes
- Lisez
- Apprenez des textes, poèmes par cœur
- Allez au cinéma
- Sortez discuter avec un groupe

- Ayez un animal de compagnie et parlez-lui
- Sortez au musée, théâtre, concert
- Faites de la menuiserie, de la couture
- Renouez de vieilles amitiés
- Faites des invitations, acceptez toutes les invitations
- Engagez la conversation avec la caissière, avec le chauffeur du taxi
- Téléphonez
- Aidez les autres et vous trouverez la vraie vie
- Inscrivez-vous à du bénévolat
- Allez dans les clubs de marche, de lecture
- Dépensez votre argent
- Souriez à tout regard dans la rue.

Imaginez-vous une gageure, un projet un peu fou.

Les oméga 3 sont la petite révolution nutritive actuelle

Ils sont « de la nutrition » à l'état pur. Il est primordial de les introduire dans nos repas ou de les prendre en compléments alimentaires. Ce sont de bons acides gras dont le rôle principal est de créer la structure nerveuse et cellulaire. Rappelons que notre cerveau est constitué de plus de 60 % d'acides gras !

Les oméga 3 sont des acides gras insaturés. On peut dire qu'ils ne saturent pas, qu'ils ne figent pas l'organisme contrairement aux mauvaises graisses saturées que l'on trouve dans les fritures, viandes, pâtisseries, produits laitiers.

Les domaines principaux où interviennent leurs bienfaits sont le cerveau et tout le système cardio-vasculaire, mais ils sont, de fait, bénéfiques à l'organisme dans toutes ses fonctions. Ils agissent aussi où on ne les attend pas comme dans les dépressions, le stress, l'insomnie, les allergies, les problèmes de peau et de vue, les tumeurs.

Consommons donc sans hésiter des oméga 3, 6 et 9 que l'on trouve dans :

- Les bonnes huiles vierges, de première pression à froid, non raffinées, biologiques de préférence, classées dans l'ordre décroissant : lin, cameline, noix, chanvre, colza, soja…
  Notons bien que l'huile d'olive apporte des oméga 9, ce qui n'est pas la même chose…
- Les huiles de poissons des mers froides : dans l'ordre d'intérêt décroissant : thon, hareng, saumon, maquereau, sardine, flétan ou en compléments alimentaires sous forme de gélules molles.

Attention, plus la cuisson est forte, plus les oméga 3 sont détruits.

Souvent, l'alimentation ne suffit plus à apporter la dose journalière et il faut opérer par compléments alimentaires : on trouve en magasins diététiques des gélules d'huile de lin, d'huile de saumon.

Ainsi, vous aurez l'esprit frais et le cœur vaillant !

Les oméga 3 protégeraient de la maladie d'Alzheimer.

Outre la diminution du risque de maladie cardio-vasculaire, de dépression et de protection du développement fœtal, les oméga 3 pourraient diminuer le risque de maladie d'Alzheimer. C'est ce que suggère une étude publiée dans le *Journal of Neurology.*

L'huile de poisson pourrait jouer un rôle préventif important dans la maladie d'Alzheimer. Des chercheurs de l'université de Californie Los Angeles (UCLA) viennent de mettre en évidence que le DHA (acide docosahéxaénoïque), un acide gras de la famille des oméga 3 trouvé en abondance dans le poisson, stimule la production d'une protéine anti-Alzheimer.

Greg Cole, un chercheur spécialisé dans la maladie d'Alzheimer a testé, avec son équipe, les effets de l'huile de poisson sur des cultures de neurones. Les résultats montrent que, même à faible dose, le DHA stimule la production de la protéine LR11. « On sait que la diminution de LR11 augmente la production de protéine bêta-amyloïde », explique Greg Cole. Les personnes qui, pour des raisons génétiques fabriquent peu de LR11, ont plus de risque que les autres de développer une maladie d'Alzheimer. Selon le chercheur, les facteurs génétiques « ne joueraient que pour une fraction du risque de déficit en LR11. Les facteurs environnementaux sont également impliqués ».

Les mêmes résultats ont été obtenus sur des lignées de neurones humains et surtout sur des souris génétiquement programmées pour développer la maladie d'Alzheimer.

La maladie d'Alzheimer est considérée aujourd'hui comme un enjeu majeur de santé publique dans les sociétés occidentales confrontées au vieillissement de leur population. Greg Cole espère que les autorités sanitaires américaines et notamment le National Institute of Health mettent en place un essai clinique de large ampleur pour tester les effets du DHA sur des personnes âgées dès l'apparition des premiers symptômes de la maladie.

En attendant, le chercheur compte calculer la dose optimale d'huile de poisson selon les différents types d'alimentation. « Il est possible que, dans certaines régions comme le sud de la France, où les habitants ont gardé une alimentation de type méditerranéen, des plus petites doses d'huile de poisson soient nécessaires. »

Si ces premiers résultats sont confirmés, la liste des bénéfices des oméga 3 s'allongerait une fois encore. En plus de réduire le risque de maladie cardio-vasculaire et de certains cancers, de favoriser le développement neuronal des fœtus, de prévenir la dépression et les problèmes articulaires, ils pourraient nous aider à préserver nos facultés mentales.

L'huile de pépins de cassis

À ce propos, les gens malades, stressés, âgés, ont un enzyme, le delta-6-desaturase qui diminue, amenuisant le métabolisme des oméga 3. Ils font des efforts en ayant une alimentation riche en oméga 3 mais les progrès sont très lents, voire inexistants. C'est le cas dans les scléroses en plaques, le diabète (où l'insuline de mauvaise qualité crée cette baisse de delta-6-desaturase). L'huile de pépins de cassis est une réponse à ce problème car le métabolisme des acides gras essentiels qu'elle contient n'utilise pas cet enzyme. Et c'est la seule huile capable d'enrayer ce phénomène.

Attention aux excès

Jean-Marie Bourre indique avoir découvert dans ses laboratoires qu'un excès d'huile de saumon altère gravement la composition en acides gras des membranes cérébrales, et donc leurs fonctions.

Le ginkgo biloba

Cette plante est absolument essentielle pour la prévention du vieillissement cérébral. C'est la plus importante de tout ce livre[1].

Le ginkgo existe sur la planète depuis 300 000 millions d'années. Il a résisté à tous les cataclysmes, y compris à la bombe atomique d'Hiroshima. C'est la plante magique par excellence !

L'extrait de ginkgo biloba contient 25 % de ginkgo flavonglycosides (ou bioflavonoïdes), spécificité du ginkgo, introuvable ailleurs.

Le ginkgo biloba et les bioflavonoïdes ont des effets positifs sur :

- la mémoire
- la démence sénile
- les insuffisances circulatoires
- la circulation cérébrale déficiente
- les ennuis cérébraux
- les scléroses
- l'impuissance

---

1. Extrait de mon livre *Les Compléments alimentaires*, Éditions Médicis, 2006.

- les acouphènes
- les affections de la rétine
- l'antioxydation des cellules du corps
- les capacités cognitives.

Le ginkgo biloba est une plante extraordinaire. On utilise ses feuilles sous forme de décoction de feuilles ou extrait fluide en ampoules qui vont améliorer la circulation cérébrale. La prise devra être journalière à raison de 4 ampoules par jour lorsque la maladie est déclarée. Les effets bénéfiques apparaîtront après trois à six mois, selon les individus. En décoction, c'est moins coûteux et même plus efficace.

Faire bouillir 3 cuillères à soupe de feuilles de ginkgo biloba, dans ¾ de litre d'eau, les laisser bouillir 5 minutes, puis infuser. Filtrer et boire tout dans la journée.

Le ginkgo est une priorité pour tous ceux qui veulent améliorer ou conserver leurs capacités générales, circulatoires, cérébrales.

Le potassium

Le potassium active la circulation et le cerveau. C'est LE complément d'Alzheimer !

Il est un fidèle allié dans la bonne résistance cardiaque car il contribue à régulariser le rythme cardiaque, la production d'énergie et à réduire la tension. Il s'oppose au sel qui, en surcroît, augmente la tension. Alors que le sang contient 9 g de sel par litre, nos cellules contiennent 15 fois moins de sodium que notre sang[1].

Le docteur Carl Johnson et ses collègues de l'University of Colorado School of Medecine ont découvert ceci : « Les concentrations en magnésium et potassium sont inhabituellement basses dans les tissus cardiaques d'hommes morts subitement de crise cardiaque. » Ils ont constaté qu'il n'en était pas de même en cas de morts subites pour d'autres raisons.

Le potassium intervient en cas de rhumatis-

---

1. Extrait de mon livre *Les Compléments alimentaires*, Éditions Médicis, 2006.

mes, polyarthrite chronique. Il contribue à l'élimination des toxines et il stimule les fonctions des surrénales. Il lutte contre la fatigue. Il permet une meilleure transmission « électrique » du système nerveux du cerveau, évitant ainsi la confusion mentale.

Les compléments alimentaires comportant du potassium aident nos cellules à se détoxiner. La nature ayant bien fait les choses, il y a aussi beaucoup de potassium dans les légumes verts et les graines germées !

La lécithine de soja

« La lécithine de soja est sans aucun doute un produit incontournable dans le traitement préventif de la maladie d'Alzheimer. Jugez-en plutôt sur sa composition[1]. Elle contient :

- un complexe naturel d'acides gras essentiels et de phosphore appelé phospholipide. Ce sont les constituants principaux des membranes de nos neurones. Leur bonne qualité donnera toute la souplesse à la membrane cellulaire, et les échanges pourront alors bien se faire ;
- du phosphore qui, comme nous l'avons vu, est indispensable au bon fonctionnement des neurones ;
- la phosphatidylcholine et la phosphatidylinositol, qui sont des formes de choline, précurseur de l'acétylcholine. Cet apport de choline est plus intéressant sous forme de lécithine que de choline pure, car la lécithine est moins sensible à la dégradation dans l'intestin. Nous avons vu que le

---

1. Dr Luc Bodin, *La Maladie d'Alzheimer, la comprendre, la prévenir*, Éd. du Dauphin, 2007.

neurotransmetteur acétylcholine manquait dans la maladie d'Alzheimer. La lécithine de soja apporte son précurseur.

- de nombreux acides aminés, dont nous avons évoqué les rôles individuels. Mais d'une manière générale, les acides aminés sont les briques de notre organisme. Ils en constituent la structure. Ils sont les principaux constituants de tous les médiateurs chimiques : hormones, anticorps, anti-inflammatoires, neurotransmetteurs, etc.

- les vitamines du groupe B dont nous avons évoqué le rôle important dans tous les processus cérébraux.

Ainsi, la lécithine de soja fait partie du traitement préventif de la maladie d'Alzheimer, et serait à commencer le plus tôt possible. »

La lécithine est « mon » complément alimentaire favori à raison de 3 grammes par jour en gélules. Il sera utile aux jeunes en période d'examens, de compétitions. Les sportifs l'apprécieront. Il devrait être « obligatoire » pour toute personne dépassant 50 ans. C'est l'ami de la circulation, cérébrale notamment, c'est dire !

D'autres plantes « de la circulation » renommées

Elles compléteront votre action. Par exemple *Aesculus* ou marron d'Inde en décoction de 5 minutes de fruits concassés, à raison d'une cuillère à café de plantes par tasse. Ceci décongestionnera les vaisseaux circulatoires.

La *petite pervenche* est à prendre en association avec le gingko car c'est un très bon régulateur de la circulation artériolaire : elle dilate les petites artères. Elle a une action spécifique sur l'oxygénation et la circulation cérébrale. C'est aussi un hypotenseur. Prenez-la en décoction de 2 minutes à raison d'une cuillère à soupe de feuilles coupées par tasse.

L'*éleuthérocoque* est une plante qui exerce une action régulatrice sur les fonctions physiologiques de l'organisme. Elle agit notamment sur les surrénales qui sécrètent différentes hormones, impliquées entre autres dans la gestion du stress. Elle est tonifiante et fortifiante, recommandée en cas de fatigue, faiblesse, concentration, convalescence. C'est le ginseng européen.

Le *thé vert* est diurétique et antioxydant. Il nettoie correctement l'organisme et stimule l'immunité. Il s'utilise comme le thé mais a en plus la particularité d'être très pauvre en caféine et théine et de ne pas nuire à l'assimilation du fer.

Enfin, la *myrtille* est l'un des fruits possédant le plus de pouvoirs antioxydants. Elle agit en prévention contre le stress oxydatif, les cancers, la sénilité et le vieillissement général. À consommer mûre sur le pied mais aussi en confiture et gelée. Ce sont surtout les feuilles qui améliorent la circulation : en décoctions de 5 minutes à raison d'une cuillère à soupe de feuilles par grande tasse.

L'extrait de *bourgeons d'olivier* en macération glycérinée pur ou en 1 D, est connu en gemmothérapie pour éviter l'épaississement du sang et faciliter la circulation cérébrale. 7 gouttes avant chaque repas feront l'affaire.

Les médicaments homéopathiques, selon la symptomatologie de chacun, rendront de grands services : consultez un bon homéopathe.

Les algues marines sont une solution aux métaux lourds

Nos cellules sont en osmose avec le milieu marin[1].

Les algues n'ingurgitent ni toxines, ni métaux lourds, grâce à leur digestion par osmose, contrairement aux animaux marins qui utilisent la digestion.

Les acides alginiques et les mucilages des algues

Certaines algues en contiennent de façon significative. Ces acides et mucilages se combinent aux métaux lourds : plomb, mercure, cadmium, etc., pour les expulser vers les selles. Les Allemands, lors de l'invasion catastrophique de Tchernobyl, consommèrent beaucoup d'algues pour absorber la radio-activité. Les Français, pas informés, n'en avaient pas besoin !

---

1. Extrait de mon livre *Les Algues alimentaires, riche légume de la mer*, Éditions Médicis, 2006.

L'algue wakamé contient beaucoup d'acide alginique qui lutte contre les putréfactions intestinales et permet de drainer les métaux lourds du corps. Les métaux lourds les plus courants trouvés dans le corps humain sont le mercure, l'argent, le plomb qui composent l'amalgame, c'est-à-dire « le plombage » du dentiste. Ils peuvent affecter le système nerveux, et entraîner des maladies auto-immunes. Voilà une méthode naturelle et efficace pour effectuer cette besogne de désintoxication, généralement difficile à gérer. Alors mangeons des algues !

D'autres algues comme la spiruline et la chlorella ont la faculté de pomper les métaux lourds.

Le curcuma

Le curcuma provient de l'Inde. C'est un des ingrédients des célèbres *currys,* leur donnant une couleur et une odeur bien caractéristiques. De la même famille que le gingembre, on utilise la racine et le rhizome pour leurs vertus médicinales. La médecine ayurvédique utilise abondamment cette plante pour ses qualités dans les cas d'arthrite et autres inflammations, de même que pour les problèmes de vision. Au cours des vingt dernières années, l'efficacité du curcuma dans le traitement des troubles digestifs et hépatiques a été confirmée par les études scientifiques.

En résumé, le curcuma sera utile dans les cas suivants :

- parasites intestinaux : des tests effectués en laboratoire ont confirmé l'efficacité du curcuma à combattre les protozoaires.
- troubles du foie : il le protège des effets des drogues et de l'alcool.
- antibactérien en cas de blessure.
- arthrite : anti-inflammatoire et dynamisant de la production de cortisone naturelle.

- mauvais cholestérol : ralentit l'agrégation plaquettaire.
- protection du cancer : inhibe la formation des lymphomes, tumeurs cancéreuses.

Utilisation

Il y a plusieurs façons de consommer le curcuma. Une des plus habituelles est dans la cuisine. Selon le Dr Béliveau, le poivre noir augmenterait de 1 000 fois l'absorption de la curcumine.

On peut également le consommer sous forme d'infusion : une cuillère à café de curcuma en poudre pour une tasse de lait végétal.

Il existe également des capsules de curcuma, parfois souvent combinées au gingembre.

La cannelle

Un petit chapitre sur la cannelle me paraît nécessaire. C'est habituellement un remède contre la toux, le rhume de cerveau, les troubles digestifs.

Selon le Dr Satish Kulkarni, une école ayurvédique recommande la cannelle comme tonique du cerveau, pour favoriser la mémoire et contre la dépression. Elle est donc très importante pour les maladies dégénératives du cerveau.

Pour Platine, au XVe siècle, la cannelle est bonne contre les inflammations des muqueuses. Selon ce dernier, elle donne envie de manger, conforte le cerveau et fait bonne haleine.

Pour Jean Bruyérin-Champier, au XVIe siècle, la cannelle combat la putréfaction.

Plusieurs études ont montré que la cannelle contient des antioxydants à un taux élevé. Elle serait encore plus antioxydante quand elle est chauffée. Ces antioxydants ont des propriétés anti-inflammatoires qui pourraient aider à prévenir ou atténuer aussi l'arthrose ainsi que les maladies cardio-vasculaires.

Une étude américaine, dirigée par le biochimiste Richard Anderson en 2003, montre qu'une consommation quotidienne d'1 à 6 g d'extrait de cannelle, permet de faire baisser de 10 à 30 % la glycémie, les triglycérides et le mauvais cholestérol des personnes atteintes de diabète de type 2. Ces baisses seraient produites grâce aux polyphénols présents dans la cannelle.

Elle est réputée pour stimuler la digestion et la respiration. Elle est considérée comme antiseptique, antispasmodique et vermifuge. Elle éliminerait les gaz intestinaux et lutterait contre la diarrhée.

L'huile essentielle de cannelle est utilisée, en aromathérapie, contre grippe et refroidissements, infections intestinales et urinaires, impuissance fonctionnelle masculine, etc.

Le ginseng

Le ginseng est la plante tonifiante de la pharmacopée chinoise depuis plus de deux millénaires, de la pharmacopée française depuis 1818. Elle contient bon nombre de vitamines A, B, C et E, des oligo-éléments comme le zinc, le cuivre et le cobalt, des huiles essentielles, des acides aminés[1].

Le ginseng est un puissant tonique de la rate et du poumon. Il équilibre le yin et le yang et calme l'esprit. Plus précisément, il tonifie l'énergie yin dans le méridien poumon-rate-pancréas, et corrige le feu débordant yang dans le méridien estomac. Il régularise la production d'adrénaline. Il augmente la glycémie en cas d'hypoglycémie et la diminue en cas d'hyperglycémie. Il stimule l'immunité en général en augmentant la production des hémoglobulines et inhibe les radicaux libres.

Cependant, le ginseng n'est pas aphrodisiaque ; il stimule l'état général. Le docteur Forgo

---

1. Extrait de mon livre *Les Compléments alimentaires*, Éditions Médicis, 2006.

a constaté un gain d'une minute sur une course de 3000 mètres avec la prise de ginseng une heure et demie avant la course. En effet, le ginseng diminue de 50 % la production d'acide lactique, frein à la contraction musculaire. Par ailleurs, il stimule la fabrication d'acide ribonucléique, ce qui expliquerait une meilleure activité cérébrale et une meilleure mémoire. Voilà qui est parfait pour les maladies neurodégénératives du cerveau.

Enfin, c'est également un phytonutriment qui a des propriétés neurotoniques étonnantes, dont la plus importante est sa capacité unique à contrôler et réduire, si nécessaire, la présence et la production de cortisol dans le cerveau (calcification des cellules nerveuses). Il aide l'organisme à s'adapter au stress physique ou psychologique.

Le ginseng prolonge la vie et procure une éternelle jeunesse. En phytothérapie, « le tout est plus que la somme des parties » ; il est donc préférable de consommer du ginseng de qualité contenant l'intégralité de la plante.

Les vitamines en compléments alimentaires

La vitamine E est présente à l'état naturel dans une grande variété d'aliments. Le sélénium est un élément semi-métallique dont on retrouve des traces dans l'eau et la nourriture. La vitamine E et le sélénium sont deux « antioxydants » qui aident à protéger les cellules du cerveau contre d'éventuels dommages menant à l'apparition de plusieurs maladies dont la maladie d'Alzheimer.

La vitamine C est aussi un grand antioxydant même si la vitamine E semble plus efficace encore. Il s'agit de la prendre sous forme acérola : vitamine C naturelle.

Les vitamines B font partie du groupe B. Il est intéressant de les prendre sous forme de complexe, composé de plusieurs vitamines B. Elles permettent d'améliorer l'ensemble du fonctionnement du système digestif. Régulatrices du mécanisme des glucides et des lipides, les vitamines B sont également indispensables à notre activité cérébrale. Saviez-vous que sans la vitamine B6, qui est en moyenne carencée à 80 %, le métabolisme du magnésium ne se fait pas ? En plus des compléments sous forme de gélules ou comprimés, on trouve les vitamines B notamment dans les céréales et la levure de bière.

La laitance de poisson

Composée d'acides aminés essentiels, vitamines du groupe B et phosphore, la laitance de poisson est dans le règne animal ce que le pollen est dans le règne végétal, c'est-à-dire un véritable concentré d'acides aminés essentiels et de vitamines du groupe B. Elle contient également du phosphore, précieux et indispensable à la cellule nerveuse. L'ensemble de ses composants en parfaite symbiose naturelle en fait un complément alimentaire de grande valeur nutritive. Sa richesse en oligo-éléments et en phosphore en fait un superaliment du cerveau et de la mémoire pour l'enfant, l'étudiant, le sportif, l'adulte et les personnes âgées.

C'est le passage obligé pour tous les malades du cerveau…

Le sélénium

Cet oligo-élément a une importance capitale dans la défense immunitaire. Il empêche toute forme d'oxydation, donc de vieillissement en luttant contre les radicaux libres. Il est considéré comme l'oligo-élément le plus antioxydant. Il est présent dans une enzyme majeure de défense : le gluthation peroxydase[1].

Il améliore la vie des habitants stressés des villes. Il atténue les effets du tabac. Il lutte contre les maladies cardio-vasculaires. C'est un facteur essentiel à la bonne harmonie avec le magnésium contre les risques cardiaques. Les chercheurs finlandais ont établi cette corrélation entre le faible taux de sélénium et l'apparition de beaucoup de maladies cardiaques en Finlande.

Le sélénium intervient dans la synthèse des cellules nerveuses ; il entretient le cerveau pour éviter dépression, humeur fragile,

---

1. Extrait de mon livre *Les Compléments alimentaires*, Éditions Médicis, 2006.

anxiété, fatigue, mémoire déficiente. Il améliore sensiblement l'humeur, surtout celle des personnes âgées. Les États-Unis ont rendu obligatoire la prise de sélénium pour les seniors, à raison de 50 à 200 microgrammes par jour. Roy Walford, visionnaire, yogi, chercheur de l'université de Californie, écrit que, en l'an 2020, nous vivrons jusque 120 ans. Il écrit à propos du sélénium : « C'est aux États-Unis, dans les Carolines, que l'on trouve la plus forte incidence d'accidents cérébro-vasculaires, c'est aussi une zone de maladies cardiaques, c'est également une région au sol pauvre en sélénium. »

Le sélénium est un puissant antiradicaux libres. Il ralentit le vieillissement et les scléroses. Il est très intéressant pour combattre toutes les maladies de dégénérescence comme le cancer et les maladies cardio-vasculaires, ainsi que dans la formation des cataractes. Il permet de garder une bonne vue. L'effet antioxydant du sélénium agit aussi en cas d'inflammation arthritique. Une étude récente a constaté un effet positif dans le cas de sujets souffrant d'inflammation systémique grave. Il freinerait la reproduction de cellules virales, ce qui le rend utile en cas d'hépatites et de sida.

Le sélénium semble avoir la capacité de se lier à certains métaux lourds toxiques comme l'arsenic, le plomb, le mercure et le cadmium et aiderait donc notre organisme à les éliminer par le biais de l'urine et par là même, il en diminue les effets nocifs. Il lutte contre la toxicité des médicaments.

Antipelliculaire et régulateur de la séborrhée du cuir chevelu en usage externe, le sélénium fait partie des ingrédients de certains shampoings traitant ces troubles cutanés. Peau, reins, intestins en ont besoin.

Il agit particulièrement au chapitre de l'intégrité des spermatozoïdes et du métabolisme de la testostérone. Il accroît notre libido, notre puissance sexuelle. Il est primordial pour la fabrication de nos enzymes, hormones thyroïdiennes.

Notre corps ne synthétise pas le sélénium et nous devons donc le trouver dans notre nourriture. La teneur en sélénium des végétaux et des animaux (viandes) que nous mangeons varie selon celle du sol sur lequel ils sont cultivés ou élevés. L'Organisation Mondiale de la Santé recommande un apport quotidien de 50 à 200 microgrammes pour les adultes.

Pour éviter ou réparer les maladies cardio-vasculaires, il faut prendre chaque jour du magnésium, du potassium, du sélénium, du chrome que l'on trouve dans tous dans les légumes, les graines et céréales non « raffinées ». On trouve le sélénium dans le thon et le saumon, la levure alimentaire de bière, le germe de blé, le pain complet, l'ail, l'oignon, les céréales, les graines germées ! On peut également le prendre sous forme de compléments alimentaires.

L'amande est extraordinaire

Elle figure parmi les plus intéressants des fruits secs oléagineux et parmi les ingrédients de mon petit-déjeuner habituel. C'est un « complément alimentaire » absolument polyvalent. Chaque petit-déjeuner doit faire une bonne place à ce fruit royal, en fruit, crème, lait (jus). Elle interviendra utilement pour le mécanisme du bon cholestérol, la reminéralisation, l'ostéoporose, la paresse intestinale, tous les troubles... Elle apporte la vitamine B2 qui lutte contre la dégénérescence, la vitamine B15 favorable aux veines et artères.

Le lait d'amande est velouté, doux, agréable au goût. Il se boit froid ou chaud et remplace à merveille le lait de vache dans toutes vos préparations : lait chocolaté, flan, *smoothie* de fruit (mixer avec des framboises, fraises), crème... Il est très intéressant pour la santé, notamment grâce à ses protéines (l'amande en fournit autant que la viande à poids égal), ses acides gras insaturés dont 64 % d'oméga 9 (contre 63 % de gras saturés pour le lait de vache). Avec un bon demi-litre de lait d'amande, on atteint l'AJR (apport journalier recommandé) en vitamine E. Ce lait est fournisseur de minéraux et aussi de fibres utiles à nos intestins, au diabète, à l'obésité. Il comporte par ordre d'importance décroissante, du phosphore, du potassium, du calcium, du magnésium, du sodium, du fer, autant d'amis du cerveau surtout pour le phosphore et le potassium.

Le physioscan pour réinformer

Cet appareil de médecine quantique a été inventé par les Russes pour maintenir en bonne santé leurs astronautes. Tout a commencé lorsqu'ils ont remarqué que les paramètres biologiques du corps, comme le sang par exemple, étaient totalement différents dans l'espace de ceux observés sur la terre. En revanche, les paramètres énergétiques du corps humain restent les mêmes. Dans toute maladie, on sait qu'il y a plusieurs critères qui sont touchés : le biologique, c'est-à-dire la matière, la partie visible (le cœur, les muscles, le cerveau, l'estomac…) et aussi l'énergétique.

La médecine traditionnelle chinoise explique bien cela. Ainsi, en cas d'hépatite par exemple, le foie ne va pas bien d'un point de vue biologique, c'est-à-dire que l'on peut détecter des troubles du foie grâce à des analyses de sang par exemple, et il ne va pas bien d'un point de vue énergétique, c'est-à-dire que son énergie n'est pas bonne ; cela se mesure notamment par les pouls chinois.

Dans l'espace, soigner une maladie selon les paramètres biologiques était donc devenu impossible puisque le référentiel n'était plus le même. On ne pouvait agir que sur les paramètres énergétiques. C'est en partant de ce constat que les Russes ont travaillé sur ce qu'est l'énergie en étudiant la médecine traditionnelle chinoise, la médecine ayurvédique (indienne), la physique quantique qui explique les nouvelles conceptions de la vie, de la matière, selon les dernières recherches scientifiques.

Il y a trois principes fondamentaux : la matière, l'énergie et l'information. La matière porte sur le corps physique, l'énergétique porte sur le corps énergétique et l'information porte sur le corps émotionnel et mental. Les Russes ont pu constater, à la lecture des recherches historiques, que c'est l'énergie qui précède l'existence de la matière, qui l'oriente et que tout corps vibre et rayonne. Si l'on travaille en préventif sur l'énergie d'un organe, on peut donc penser que l'on évitera vraisemblablement les maladies, puisque c'est l'énergie qui devance la matière.

À la vue de leurs recherches, ils mirent au point le physioscan, qui est un décodeur, analyseur de l'énergie des tissus des organes du corps humain. L'appareil permet de savoir comment vibre un organe grâce à un feed-back de l'information des cellules de cet organe. Une cellule saine vibre à une certaine fréquence et une cellule en souffrance à une autre. L'appareil permet donc de détecter cette fréquence. Il ne s'arrête pas là, il permet aussi de renvoyer la bonne fréquence à la cellule, c'est-à-dire de la réinformer selon le mode de fonctionnement optimal pour elle. C'est comme s'il lui renvoyait l'instruction, ou le code de son fonctionnement originel. Ensuite la cellule garde tout, ou en partie, l'information dans le temps, compte tenu des nouvelles perturbations éventuelles que la personne expérimente, selon son hygiène vitale, sa réaction au stress, sa gestion face aux événements de sa vie.

Cette technique permet de faire « du préventif », de devancer l'apparition de la maladie, d'agir dès les premiers troubles énergétiques qui sont en amont des perturbations physiques. C'est un travail sur *le terrain* du patient. Il est donc très utile pour prévenir de la maladie d'Alzheimer car il lit les dysfonctionnements énergétiques du cerveau, mais aussi des chromosomes.

C'est tout à fait révolutionnaire.

Les chromosomes engagés dans la maladie d'Alzheimer sont, quant à la forme génétique, les chromosomes 1, 14 et 21. Les formes sporadiques de loin les plus rencontrées impliquent le chromosome 19. Il démarre dans la région de l'hippocampe, zone pivot impliquée dans la gestion de la mémoire. La dégénérescence neurofibrillaire se poursuit ensuite, comme une réaction en chaîne, dans les régions corticales associées, puis dans l'ensemble du cortex cérébral. « Travailler » ces notions au physioscan donnent d'excellents progrès.

Le physiodétox pour déloger les toxines

C'est un appareil de médecine quantique qui permet de libérer le corps de ses toxines, là où les drainages par les autres procédés, ne sont pas suffisamment efficaces. La circulation des énergies est meilleure, y compris dans la tête. Comment cela fonctionne-t-il?

On met ses pieds dans un bac où se trouve de l'eau salée avec, au centre, une bobine reliée à un appareillage. Le système envoie depuis les pores des pieds des ions négatifs qui permettent de rééquilibrer les cellules entoxinées. Ces cellules vont alors commencer à envoyer les toxines à l'extérieur par la plante des pieds. L'eau prend alors une couleur brunâtre. Ce sont les toxines, acides et métaux lourds du corps. Après une séance qui dure 30 minutes, on se sent revitalisé, plus léger, l'énergie circule mieux dans tout le corps, on se sent plus calme, on maîtrise mieux ses moyens.

C'est un outil fantastique en prévention de la maladie d'Alzheimer et aussi en aide précieuse quand elle est installée. L'utilisation hebdomadaire purifie le corps à la longue.

N'hésitez pas à contacter l'auteur de cet ouvrage, praticien de cet appareil...

Pour un corps sain, détoxiné, riche d'un cerveau toujours jeune...

Et n'oubliez pas d'avoir un cerveau créatif, de détoxiner, de désoxyder, de réformer votre alimentation, de prendre des oméga 3 et 9, de la lécithine de soja, du ginkgo biloba, de revoir vos amalgames dentaires. Faites-le de suite, sinon vous risquez d'oublier...

Achevé d'imprimer en juin 2009
sur les presses de la Nouvelle Imprimerie Laballery
58500 Clamecy
Dépôt légal : juin 2009
Numéro d'impression : 906081

Imprimé en France

La Nouvelle Imprimerie Laballery est titulaire de la marque Imprim'Vert®